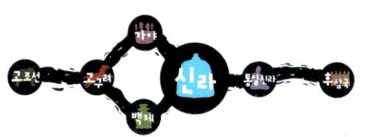

원광 법사

여우의 도움을 받다

원작 일연 글 구들 그림 최양숙 감수 최광식

원광 법사는 백성들의 존경을 한 몸에 받았던 신라의 고승*이에요.
원광 법사는 어릴 때부터 총명해서 사람들의 기대를 받았지만,
벼슬을 하는 것보다 부처님의 제자가 되어
마음을 닦는 것이 더 중요하다고 생각했어요.
그래서 스무 살 때 절에 들어가 스님이 되었답니다.

하루는 열심히 불법 공부를 하고 있는데
누군가 부르는 소리가 들렸어요.
밖으로 나가 사방을 둘러보았지만
아무도 보이지 않았어요.
"어허, 내가 헛소리를 들었나 보군!"

*고승: 많이 배우고 덕이 높은 스님

원광 법사가 다시 법당으로 들어가려할 때였어요.
"하하하! 여기요. 여기!"
그 소리는 법당 앞 나무 위에서 들려왔지요.
고개를 들어 올려다보니, 나무 위에 하얀 수염을 기르고
도포를 입은 노인이 앉아 있는 것이었어요.
"아니, 누구십니까?"
"나는 이 산을 지키는 산신령이라오."
노인은 하얀 수염을 바람결에 휘날리며 말했어요.

"내 법사님을 쭉 지켜 봤는데 참으로 훌륭하더이다.
한 치의 흔들림 없이 밤낮으로 불법을 공부하고
덕을 쌓는 모습은 누구도 흉내내기 힘들 것이오."
부드럽게 말하던 노인의 얼굴이 갑자기 성난 빛으로 변했어요.
"그런데 이웃 절에 있는 중은 법사님과는 영 딴판이오.
불공을 드린답시고 정성도 없이 시끄럽게 목탁만 두드리며
고래고래 소리를 질러 대니 산속의 동물들이 괴로워서
잠도 제대로 못 자는 지경이라오.
그러니 법사님이 가서 제발 그만두라고 전해 주시구려.
아니면 멀찌감치 다른 산으로 가든가."
"노인께서 직접 말씀해 보시지 그러십니까?"
"내 말은 도통 듣지를 않으니 법사님께 부탁하는 것이 아니겠소?"
"아무튼 제가 나설 문제는 아닌 것 같습니다. 같은 수행자 입장에서
시끄러우니 염불을 하지 말라고는 할 수 없는 게 아닙니까?"
원광 법사가 말했어요.
"그럼 할 수 없군. 내 그 중을 살려 두지 않으리다."
말을 마친 노인은 연기처럼 사라져 버렸어요.

원광 법사는 노인의 마지막 말이 마음에 걸렸어요.
그래서 이웃 절로 찾아가 노인의 이야기를 전했지요.
"아무래도 다른 곳으로 옮기시는 게 좋을 듯합니다.
그렇지 않으면 언제 무슨 화를 입을지 모를 일입니다."
그러자 중은 불같이 화를 내며 큰 소리로 말했어요.
"스님은 어째서 요망한 여우에게 홀려 쓸데없는 말을 하고 다니는 게요?"
"여우라니요?"
"허, 그 노인은 산신령이 아니라 여우가 둔갑한 것이오.
불법을 공부하는 스님이 어찌 그것도 모른단 말이오?
아무튼 말씀 대로는 할 수 없으니 당장 돌아가시오!"
이웃 절의 중이 걱정되어 찾아갔던 원광 법사는
무안만 당한 채 돌아오고 말았지요.

그날 밤, 노인이 또 원광 법사를 찾아왔어요.
"내 말을 전하셨는지요? 그래, 뭐라고 하던가요?"
원광 법사는 시치미를 떼며 대답했어요.
"저는 그 스님을 만나지 않았습니다."
"허허허, 내 벌써 다 알고 왔는데 어찌 거짓말을 하시오?
두고 보시오. 그 중은 오늘 밤을 넘기지 못할 테니!"
말을 마친 노인은 껄껄대며 웃었지요.
"아니, 염불을 좀 시끄럽게 한다고 하여 어찌 사람을 해친단 말입니까?
노인은 산신령이라 하셨으니 너그러운 마음으로 이해해 주시지요."
원광 법사가 간청해 보았지만 아무 소용이 없었어요.
"나는 한다면 하고야 맙니다. 이제 법사님이 아무리
사정한다 해도 듣지 않을 것이오!"
노인은 호통을 치더니 또다시 연기처럼 사라져 버렸어요.
'별 이상한 노인이 다 있군. 어제 그 스님의 말로는
여우가 둔갑을 한 거라고 했는데……,
도무지 누구 말이 맞는지 알 수가 없군.
어쨌든 그 스님이 무사하기를 바라는 수밖에…….'

바로 그때였어요.

콰르릉! 콰르르릉!

갑자기 산자락 뒤에서 벼락이 내리쳤어요.

엄청난 소리와 함께 문짝이 덜그럭거리고,

법당 마룻바닥이 덜컹거리면서

무언가 무너져 내리는 듯한 강한 떨림이 온몸으로 전해져 왔어요.

'아니, 이건 또 무슨 일이란 말인가?'

원광 법사는 부리나케 법당 밖으로 나가 보았어요.

'아무래도 심상치 않아!

필시 그 스님에게 무슨 일이 생긴 것이야.

어서 찾아가 봐야겠다!'

원광 법사는 바로 길을 나섰어요.

이웃 절에 도착한 원광 법사는 눈 앞에 펼쳐진 광경에 눈이 휘둥그레졌어요.

절이 무너진 뒷산 흙더미에 완전히 뒤덮여 버린 것이었지요.

흙더미 사이로 팔 하나가 삐죽 나와 있는 것이 보였어요.

바로 이웃 절에 살던 중이었어요.

중은 흙더미에 깔려 이미 숨을 거둔 상태였지요.

원광 법사가 절로 돌아오자 노인이 기다리고 있었어요.
노인을 보는 순간 원광 법사는 화가 치밀었어요.
"산신령이라는 분이 사람을 그렇게 함부로 죽여도 되는 겁니까?"
원광 법사가 따져 묻자 노인이 씁쓸한 얼굴로 대답했어요.
"그 중은 계율을 지키기 싫어 산속으로 도망쳐 들어와
닥치는 대로 짐승을 잡아먹었다오. 벌을 받아 마땅하지요."
하지만 원광 법사는 여전히 노인을 노려보았어요.
"나는 그 말을 믿지 않습니다. 당신은 산신령이 아니라 3천 년 묵은 여우임에 틀림없소."
그러자 노인은 슬픈 얼굴로 사라져 버렸답니다.

다음 날 아침, 원광 법사는 무너진 절터로 가 보았어요.
노인에게서 들은 이야기가 자꾸 마음에 걸렸기 때문이지요.
흙더미를 파헤쳐 보니 부엌이 있던 자리에서 커다란 무쇠솥이 나왔어요.
솥뚜껑을 열어 본 순간 원광 법사는 놀라움에 숨이 막히는 듯했어요.
솥 안에 노루와 고라니가 반쯤 익은 채 들어 있었던 거예요.
이번에는 헛간 쪽으로 가 보았어요.
흙더미를 치우자 곰 가죽과 여우 가죽 따위가 잔뜩 쏟아져 나왔어요.
'아, 노인의 말이 사실이었구나.'
원광 법사는 노인에게 미안한 생각이 들었어요.

그날 밤, 노인이 다시 나타났어요.

원광 법사는 노인 앞에 무릎을 꿇고 용서를 빌었지요.

"제가 오해했습니다. 용서하십시오."

그러자 노인은 빙그레 웃으며 말했어요.

"아니오. 상대가 형편없이 나쁜 사람일지라도 끝까지 감싸려는
법사님의 자비로운 마음에 무척 감동했소.
법사님 같은 분이 넓은 세상으로 나가서 부처님의 진리를
더 공부하고 온다면 우리 신라에 많은 도움이 될 텐데……."

그것은 원광 법사도 바라는 일이었어요.

당시에는 스님이라면 누구나 중국 진나라로 유학을 가고 싶어 했지요.

진나라에는 유명한 절이 많고 훌륭한 스님도 많았기 때문에

여러 나라에서 스님들이 불법을 공부하기 위해 모여들고 있었거든요.

하지만 진나라까지 가려면 만만치 않은 여비가 필요했어요.

게다가 신라에서 진나라로 가려면 적국인 고구려 땅을 지나야 했는데,

설령 고구려 땅을 안전하게 지날 수 있다 하더라도

바다에서 왜구*를 만나 목숨을 잃기 일쑤였지요.

*왜구 : 옛날 일본의 해적

노인이 쓸쓸한 표정을 짓고 있는
원광 법사의 어깨를 두드리며 말했어요.
"내가 법사님을 안전하게 안내하겠소.
내가 인도하는 대로 따라오면 고구려 군사와
마주치지 않고 무사히 진나라에
도착할 수 있을 것이오."
"도대체 무슨 방법으로 그리 한단 말입니까?"
"내가 낮에는 나비가 되고 밤에는 반딧불이가 되어
법사님을 인도할 테니 믿고 따라오시오."
말이 끝남과 동시에 노인의 모습은 온데간데없고
크고 하얀 나비 한 마리가 나타났어요.
나비는 어서 가자는 듯 원광 법사에게
팔랑팔랑 날갯짓을 했어요.
원광 법사는 서둘러 등짐을 챙겨 메고
나비를 따라 나섰지요.

하얀 나비는 험한 산속에서도 용케 좋은 길을 찾아냈어요.

밤이면 반딧불이가 어두운 밤길을 환히 밝혀 주고

동굴로 안내해 지친 원광 법사를 쉬게 해 주었지요.

이윽고 원광 법사는 고구려와 진나라의 경계를 이루는 곳에 이르렀어요.

그러자 나비는 할 일을 다했다는 듯 어디론가 사라지더니

다시는 나타나지 않았어요.

노인의 도움으로 진나라에 도착한 원광 법사는 11년 동안

부처님의 가르침을 공부하고 깨달음을 얻어 장엄사라는 절에서 설법*을 시작했어요.

그러자 부처님의 진리를 쉽고 재미있게 가르쳐 주는 스님이

나타났다는 소문이 진나라 곳곳으로 금세 쫙 퍼졌어요.

진나라 사람들은 너도나도 원광 법사의 가르침을 듣기 위해 장엄사를 찾았지요.

*설법: 불교의 이치를 가르침

그렇게 몇 년의 세월이 흐른 뒤 어느 날,
중국 땅 전체가 전쟁에 휩싸이게 되었어요.
중국을 통일하려는 수나라가 진나라로 쳐들어왔던 거예요.
전쟁이 일어나자 다른 나라에서 온 스님들은 앞 다투어 고국으로 돌아갔지만
원광 법사는 차마 그럴 수가 없었어요.
"십수 년을 함께 보낸 이 나라 사람들을 버리고 나 혼자 돌아갈 수는 없어."
원광 법사는 장엄사를 지키며 두려움에 떠는 진나라 사람들을 위로해 주었어요.
그리고 하루빨리 중국 땅에 평화가 깃들기를 부처님께 빌었지요.

장엄사에도 수나라 군사들이 쳐들어왔어요.

피난민들이 많이 숨어 있다는 소문을 들었기 때문이지요.

수나라 군사들이 올 것을 미리 눈치챈 원광 법사는 산속에 비밀 동굴을 만들어 진나라 사람들을 숨겨 놓고 홀로 절을 지키고 있었어요.

"당장 진나라 피난민들이 숨어 있는 곳을 대라!"

수나라 군사가 원광 법사의 목에 칼을 대고 협박했어요.

"나는 모르는 일이오."

원광 법사는 당황해하는 기색 하나 없이 침착하게 대꾸했어요.

"말로 해서는 안 되겠군."
수나라 군사들이 잔인하게 웃더니 절 마당에 차곡차곡 장작을 쌓고 그 위에 기름을 부었어요.
"진나라 피난민들이 있는 곳을 말하지 않으면 너를 태워 죽이겠다."
"나 한 사람 죽어 죄 없는 사람들의 목숨을 구할 수 있다면 몇 번이라도 기꺼이 죽겠소."
그때였어요.
요란한 말발굽 소리와 함께 수나라 장수 한 명이 절 마당으로 들어섰고, 수나라 군사들은 깜짝 놀라 무릎을 꿇었지요.

수나라 장수는 원광 법사를 보더니 서둘러 말에서 내려 공손하게 절을 했어요.
"원광 법사님! 훌륭하신 분을 몰라 뵙고 큰 실수를 저질렀습니다.
부디 용서해 주십시오."

"어젯밤 막사*에서 잠깐 잠이 들었는데 꿈 속에서
저희 수나라 군사들에게 묶여 있는 원광 법사님의 모습을 보았습니다.
그때 갑자기 한 노인이 나타나더니 원광 법사님을 구하라고 하더군요.
앞으로 큰일을 하실 분이니 절대 다치게 해서는 안 된다고 하였습니다."
묵묵히 수나라 장수의 이야기에 귀를 기울이고 있던 원광 법사는
노인에 대한 고마움과 그리움으로 왈칵 목이 메는 것 같았어요.
"노인이 나를 잊지 않고 도와주었구나."
원광 법사는 마음속으로 노인에게 감사를 드렸어요.

*막사 : 군인들이 임시로 거주하기 위해 지은 천막집

신라로 돌아온 원광 법사는 예전에 수행을 하던 절로 노인을 찾아갔어요.

노인을 만난 원광 법사는 공손히 합장*을 하며 말했지요.

"신령님 덕분에 무사히 공부를 마치고

위험한 전쟁 중에도 목숨을 건졌습니다."

노인이 웃으며 대답했어요.

"법사님은 내 스승이오.

법사님을 만난 후로 나도 따뜻한 마음을 가지려고 노력했다오.

어떤 일에도 성내지 않고 누구에게도 벌을 주지 않았소.

이제 나도 죄를 씻고 사람으로 다시 태어날 수 있을 것 같소."

"사람으로 태어나신다니 그게 무슨 말씀이신지요?"

그러자 노인이 말했어요.

"나는 오늘 목숨이 다할 것이오. 그래서 마지막으로 법사님을 보러 온 것이오.

내일 아침 일찍 이 근처에서 제일 오래된 나무 밑으로 오시오.

그러면 나의 진짜 모습을 볼 수 있을 것이오."

말을 마친 노인은 조용히 사라졌어요.

*합장 : 불교에서 공경하는 마음으로 두 손바닥을 모아 예의를 표하는 것

다음 날 아침, 원광 법사는
근처에서 제일 오래된 나무 밑으로 갔어요.
나무 주위를 살피던 원광 법사는 깜짝 놀라
걸음을 멈추었지요. 나무 밑에 여우 한 마리가 죽어 있었거든요.
'아! 노인은 정말 여우였구나.
그런데도 사람인 나를 미워하지 않고 도와주다니!'
원광 법사는 여우의 시체를 깨끗이 씻긴 다음
정성스럽게 짠 관에 넣어 고이 묻어 주었어요.

원광 법사는 진평왕의 부름을 받고 대궐로 들어갔어요.
진평왕은 원광 법사를 나라의 스승인 국통*으로 임명했지요.
"그대의 뛰어난 덕으로 우리 신라 사람들을 잘 이끌어 주길 바라오."
국통이 된 원광 법사는 신라 불교의 발전을 위해 노력하다가
99살의 나이로 황룡사에서 숨을 거두었어요.
신라를 대표하는 스님으로 사람들의 칭송을 받은 원광 법사는
너그럽고 따뜻한 성품으로 여우를 감동시키고
결국 여우의 도움으로 고승이 되었답니다.

*국통 : 덕행이 높은 승려에게 주던 관직으로 왕의 고문 역할을 했음

신라 백성의 스승이 된 원광 법사

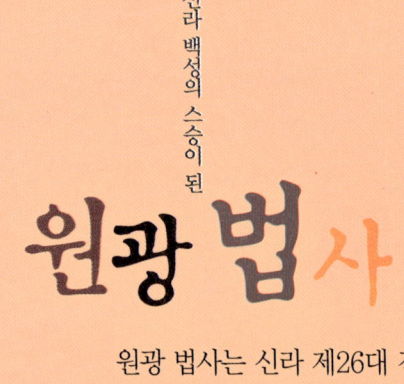

원광 법사는 신라 제26대 진평왕 때 활약한 고승으로 20살의 나이에 스님이 되기로 결심하고, 열심히 부처님의 가르침을 공부해 30살에는 서라벌 삼기산에 '금곡사'라는 절을 지었습니다. 당시 스님은 대부분 부처님의 가르침을 공부하기보다 주술 연구에 빠져 있는 경우가 많았습니다. 주술은 사람의 눈과 정신을 속이는 일종의 요술로, 부처님의 가르침에서 벗어나는 것이었지요. 이를 안타깝게 여긴 원광 법사는 불법 공부를 하여 사람들을 돕기로 결심하고 중국 진나라로 유학을 떠났습니다.

중국 진나라에서 원광 법사는 훌륭한 스님으로 널리 이름을 알렸습니다. 그러던 중 진평왕의 부름을 받고 다시 고국으로 돌아와 국통이 되었습니다. 그리고 여러 사람들의 존경을 받으며 신라 사람들에게 부처님의 가르침을 널리 알렸습니다.

그리고 깨달음을 얻고자 찾아 온 두 청년을 통해 세상을 살아가는 기본 규칙이 되는 다섯 가지 가르침인 '세속오계'를 선파합니다. '세속오계'는 나중에 신라 화랑이 근본 정신이 되어 신라가 삼국 통일을 할 수 있게 한 정신적인 밑거름이 되었습니다. 또한 원광 법사는 고구려의 위협을 받는 신라를 위해 수나라 왕에게 외교 편지를 쓰는 등 나라를 위해서 많은 활약을 했습니다.

이처럼 원광 법사는 언제나 맑은 자세로 마음을 수양하고 애국자로서 나라에 충성을 다했습니다. 원광 법사가 당시 모든 백성의 스승으로 우뚝 설 수 있었던 것도 이런 모습 때문이랍니다.

> 올곧은 마음으로 불교의 가르침을 전파한 원광 법사는 세속오계를 만들어 신라의 삼국 통일을 도왔어요

- 기원전 57년 신라 건국
- 512년 우산국 정복
- 532년 금관가야 정복
- 566년 원광 법사 스님이 되기로 결심하고 출가
- 578년 원광 법사 중국 진나라로 유학
- 600년 원광 법사 신라로 귀국
- 613년 원광 법사 황룡사에서 《인왕경》 해설
- 660년 백제 정복

원광 법사와 관련 있는 ## 인물들

법흥왕 : 신라 제23대 왕

원광 법사가 태어났을 당시 신라 왕으로 왕위에 있었던 기간은 514~540년입니다. 지증왕의 개혁 정치를 계승한 왕으로 527년, 이차돈의 순교를 계기로 귀족의 반대를 물리치고 불교를 공식적으로 인정하였습니다. 말년에는 스님이 되었습니다.

진평왕 : 신라 제26대 왕

진흥왕의 손자로 왕위에 있었던 기간은 579~632년입니다. 왕이 된 후 여러 차례에 걸친 고구려의 침공에 대항하였고, 중국 수나라와 외교를 맺었습니다. 나라 안으로 내정을 충실히 다졌으며, 원광 법사와 담육 스님 등을 중국에 보내 불교를 진흥시키고 왕실을 튼튼히 하는 데 힘썼습니다.

알고 싶은

세속오계(世俗五戒)

원광 법사가 귀산과 추항에게 가르쳐 준 세속오계의 내용은 다음과 같습니다. 첫째, 나라와 임금에게 충성할 것(事君以忠, 사군이충). 둘째, 부모에게 효도할 것(事親以孝, 사친이효). 셋째, 친구에게 신의를 지킬 것(交友以信, 교우이신). 넷째, 전쟁터에 나가면 물러서지 말 것(臨戰無退, 임전무퇴). 다섯째, 살아 있는 것들을 함부로 죽이지 말 것(殺生有擇, 살생유택). 이 다섯 가지 가르침은 나중에 신라 화랑도의 기본 정신이 됩니다. 그래서 다른 말로는 세속오계를 '화랑오계'라고도 한답니다.

668년	676년	751년	828년	888년	935년
고구려 정복	삼국 통일 통일 신라 시대 시작	불국사 창건	청해진 설치	향가집 《삼대목》 편찬	신라 멸망

궁금증을 풀어 주는 미로여행

Q1 법사는 무슨 뜻인가요?

Q2 여우가 정말 산신령으로 둔갑한 것일까요?

Q3 원광 법사는 중국에서 어떤 공부를 했나요?

Q4 국통이 된 원광 법사는 어떤 일을 했나요?

Q5 세속오계에 살아 있는 것을 함부로 죽이지 말라고 하는데 전쟁터에서는 어떻게 하나요?

중국 진나라에서 유행하던 불교 경전인 《섭대승론》과 《열반경》등을 공부했어요. 두 경전은 신라에는 전혀 알려지지 않았던 것으로, 원광 법사에 의해 신라에 처음으로 소개되어 신라 불교의 기초가 되었지요.

여우는 옛 전설 속에서 주술을 부리는 동물로 자주 등장해요. 아마 여우의 행동이 민첩하고, 꾀가 많게 생겼기 때문일 거예요. 원광 법사가 중국으로 유학을 떠나는 도중에는 풀어야 할 어려운 문제가 많았어요. 그 과정에서 여우가 원광 법사를 도와주었다는 전설이 생겼다고 본답니다.

원광 법사는 불교뿐 아니라 유교도 공부했어요. 그래서 아는 것이 많을 뿐 아니라 글도 아주 잘 썼지요. 국통이 된 후에는 신라가 어려움에 처할 때마다 훌륭한 문장으로 외교 문서를 써서 다른 나라의 힘을 빌리곤 했답니다.

원광 법사는 '말 못하는 동물, 식물이라도 함부로 죽여서는 안 되고 어쩔 수 없을 때에는 상대를 가려서, 결코 많이 죽여선 안 된다.'라고 했어요. 그러니까 전쟁터에서 어쩔 수 없이 살생을 하더라도 생명의 소중함을 항상 생각하고 함부로 목숨을 빼앗아서는 안 된다는 뜻으로 이해하면 돼요.

모범이 되는 뛰어난 실력을 지닌 스님이라는 뜻으로 불교의 가르침을 설명하는 선생님 같은 스님이라고 보면 되지요.